GLYN

Y GATH Â'R HET HUD

I Billy

Cyhoeddwyd yn 2014 gan Wasg y Dref Wen,
28 Heol Yr Eglwys, Yr Eglwys Newydd,
Caerdydd CF14 2EA, ffôn 029 20617860.
Testun a'r lluniau © 2012 Sue Hendra
Y Fersiwn Gymraeg © 2013 Dref Wen Cyf.
Cyhoeddiad Saesneg gwreiddiol 2012 gan Simon & Schuster Uk Ltd,
1St Floor, 222 Gray's Inn Road, Llundain WC1X 8HB
 dan y teitl *Keith the cat with the magic hat*.
Mae hawl Sue Hendra i gael ei chydnabod fel awdur ac arlunydd y gwaith hwn wedi cael ei datgan ganddi
yn unol â Deddf Hawlfraint, Dyluniadau A Phatentau 1988.
Cyhoeddwyd gyda chymorth ariannol Cyngor Llyfrau Cymru.
Cedwir pob hawl, gan gynnwys yr hawl i atgynhyrchu'r gwaith yn ei gyfanrwydd neu'n rhannol mewn unrhyw ffurf.
Argraffwyd yn China

GLYN
Y GATH Â'R HET HUD

gan Sue Hendra

Trosiad gan Elin Meek

DREF WEN

Wrth i Glyn y gath
grwydro'n hapus yn y cae ...

"Ha-ha-ha, mae hufen iâ'n sownd ar ben Glyn!" chwarddodd y cathod eraill.

Yn sydyn, teimlai Glyn braidd yn swil a braidd yn dwp.

"Nid hufen iâ yw e," gwichiodd. "Ond ...

Ond ...

Ond ...

Ond ...

HET HUD! Ie, dyna ni! HET HUD!"

Chwarddodd y cathod lond eu boliau o glywed hyn.
"Dere, dangos ychydig o hud a lledrith i ni, 'te!" chwarddon nhw.

Druan â Glyn! Doedd ganddo ddim syniad beth i'w wneud.
"W-w-wel, yn gyntaf," baglodd,
"Mae angen fy hudlath arna i."

Plygodd i godi'r hudlath siocled
oddi ar y llawr, ond ...

Dechreuodd honno redeg i ffwrdd – ar ei PHEN EI HUN BACH!

Roedd y cathod yn rhyfeddu. "Waw, Glyn! Fe wnest ti i'r hudlath symud," medden nhw'n syn.

Roedd Glyn yn rhyfeddu hefyd ... ond ddywedodd e ddim gair.
"Mwy!" gwaeddodd y cathod yn gyffrous.
"Mwy o hud a lledrith! Mwy! Mwy!"

Tynnodd Glyn anadl ddofn.
Yna chwifiodd ei hudlath yn yr awyr ...

"Abracadabra!"

Ond ddigwyddodd dim byd.

Rhoddodd Glyn gynnig arall arni.

"Abracadabra!"

Ond eto, ddigwyddodd dim byd.

Roedd y cathod yn mynd yn ddiamynedd.
Roedden nhw'n gweiddi ac yn curo eu traed.
"MWY! MWY! MWY!"

"Abracadabra!" gwaeddodd Glyn,
AC ...

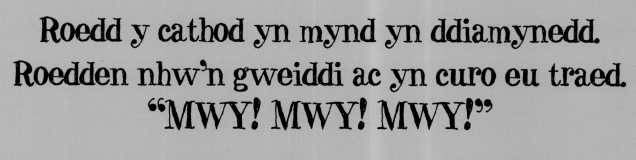

... ar hynny, dyma deulu o gwningod yn codi o'r ddaear. Doedden nhw ddim wedi clywed y fath sŵn erioed!

"Glyn – da iawn ti!" gwaeddodd y cathod eraill yn llon.
"Rwyt ti wedi gwneud i gwningod godi o'r ddaear
drwy hud a lledrith. Hwrê!"

Roedd pawb yn cael cymaint o hwyl fel na
chlywon nhw BOW-WOW! yn y pellter.

BOW-WOW! BOW-WOW! BOW-WOW!

"Arswyd y byd! Ci! Brysia, Glyn, achub ni drwy hud a lledrith!" gwichiodd y cathod mewn ofn.

BOW-WOW! BOW-WOW! BOW-WOW!

Ond wrth gwrs, doedd Glyn ddim WIR yn gallu gwneud hud a lledrith.

Beth roedd e'n mynd i'w wneud?

Dringodd y cathod y goeden ar wib.

Edrychon nhw i lawr ar y ci blin.
"Brysia, Glyn, GWNA rywbeth!"
gwaeddon nhw.

Yna ...

Wwwps!

Llithrodd het hud Glyn oddi ar ei ben.
Cwympodd fel saeth drwy'r awyr ...

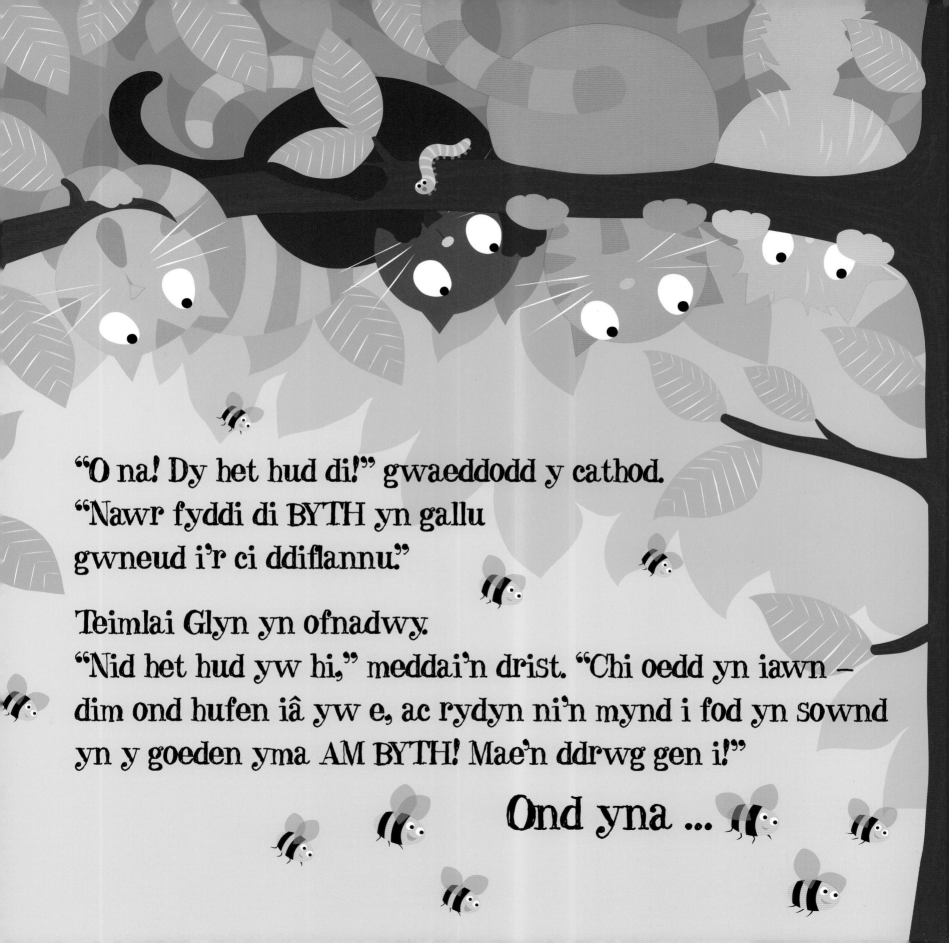

"O na! Dy het hud di!" gwaeddodd y cathod.
"Nawr fyddi di BYTH yn gallu
gwneud i'r ci ddiflannu."

Teimlai Glyn yn ofnadwy.
"Nid het hud yw hi," meddai'n drist. "Chi oedd yn iawn –
dim ond hufen iâ yw e, ac rydyn ni'n mynd i fod yn sownd
yn y goeden yma AM BYTH! Mae'n ddrwg gen i!"

Ond yna ...

"Hwrê i Glyn!" gwaeddodd y cathod.
"Rwyt ti'n gallu gwneud hud a lledrith
hyd yn oed heb dy het!"
"Diolch," meddai Glyn yn swil. "Dyma fy nhric nesaf – gwneud
i'r smotyn o hufen iâ ar flaen fy nhrwyn ddiflannu."

Gwyliodd y cathod yn amyneddgar.
Yna . . .

Tynnodd Glyn ei dafod a **llyfu ei drwyn yn lân!**